es 1066

edition suhrkamp

Neue Folge Band 66

Die Gedichte in diesem Buch sind fast alle in den letzten zwei Jahren entstanden. An den Anfang hat der Autor, unter dem Titel »Tränen der Dankbarkeit«, eine Reihe von Idyllen gestellt. Hier sind Momentaufnahmen aus den siebziger Jahren zu besichtigen, Berichte aus dem Inneren des Landes und seiner Bewohner. Ihr Ton ist ratlos, heiter, kurz angebunden, zuweilen sarkastisch; Rechthaberei ist ihnen fremd. Das letzte Kapitel des Bandes dagegen – »Die Furie des Verschwindens« – besteht aus Wach- und Schlafträumen, Meditationen und Geisterbildern, die sich einer thematischen Festlegung entziehen.
In der Mitte des Buches steht ein langer Psalm, »Die Frösche von Bikini«. Dieses Gedicht bildet das Rückgrat der Sammlung. Man kann es als den Versuch einer Abrechnung lesen. Der Text ist unruhig, brüchig, voller Abweichungen. Rücksicht auf das literarisch und ideologisch Abgemachte wird ebensowenig genommen wie auf das schreibende Ich. Heftige Gefühle und ausschweifende Gedanken – aber die Vermittlung zwischen Geschichte, Natur und Subjekt kann nicht mehr gelingen. Vielleicht ist mit solchen Auskünften schon zuviel gesagt. Um das Gedicht zu verstehen, braucht niemand seine theoretischen Implikationen zu entziffern; ebensowenig wie der Leser zu wissen braucht, was eine Furie ist; nämlich, mit den Worten eines verstaubten Buches, »ein rächender Geist, der schon bei den ältesten Dichtern vorkommt, und der bald in unbestimmter Mehrheit, bald in der Einzahl erscheint. Die Furien rächen und strafen den Meineid, den Mord, die Vergewaltigung der Natur und tragen überhaupt dafür Sorge, daß Niemand seine Grenzen überschreite; sie gehen zu Werke, indem sie den Sinn des Schuldigen verwirren; übrigens gehören sie der Unterwelt an, womit auch die Fortdauer ihrer Rache nach dem Tode zusammenhängt«.
Die Werke von Hans Magnus Enzensberger im Suhrkamp Verlag: Der Menschenfeind. Nach dem Französischen des Molière (Insel 1979); *Der Untergang der Titanic.* Eine Komödie (1978); *Edward Lears kompletter Nonsens* (Insel 1977); *Mausoleum.* 37 Balladen aus der Geschichte des Fortschritts (1975); *Der Weg ins Freie.* Fünf Lebensläufe (1975); *Palaver.* Politische Überlegungen (1974); *Freisprüche.* Revolutionäre vor Gericht (1973); *Gespräche mit Marx und Engels* (Insel 1973); *Der kurze Sommer der Anarchie* (1972); *Das Verhör von Habana* (1972); *Gedichte 1955-1970* (1971); *Landessprache.* Gedichte (1969); *Deutschland, Deutschland unter anderm* (1967); *Politik und Verbrechen* (1964); *Blindenschrift.* Gedichte (1964); *Gedichte.* Die Entstehung eines Gedichts (1963); *Einzelheiten.* Essays (1962); *Allerleirauh.* Viele schöne Kinderreime (1961); *Museum der modernen Poesie.* Gedichte aus sechzehn Sprachen (1960); *Verteidigung der Wölfe.* Gedichte (1957).

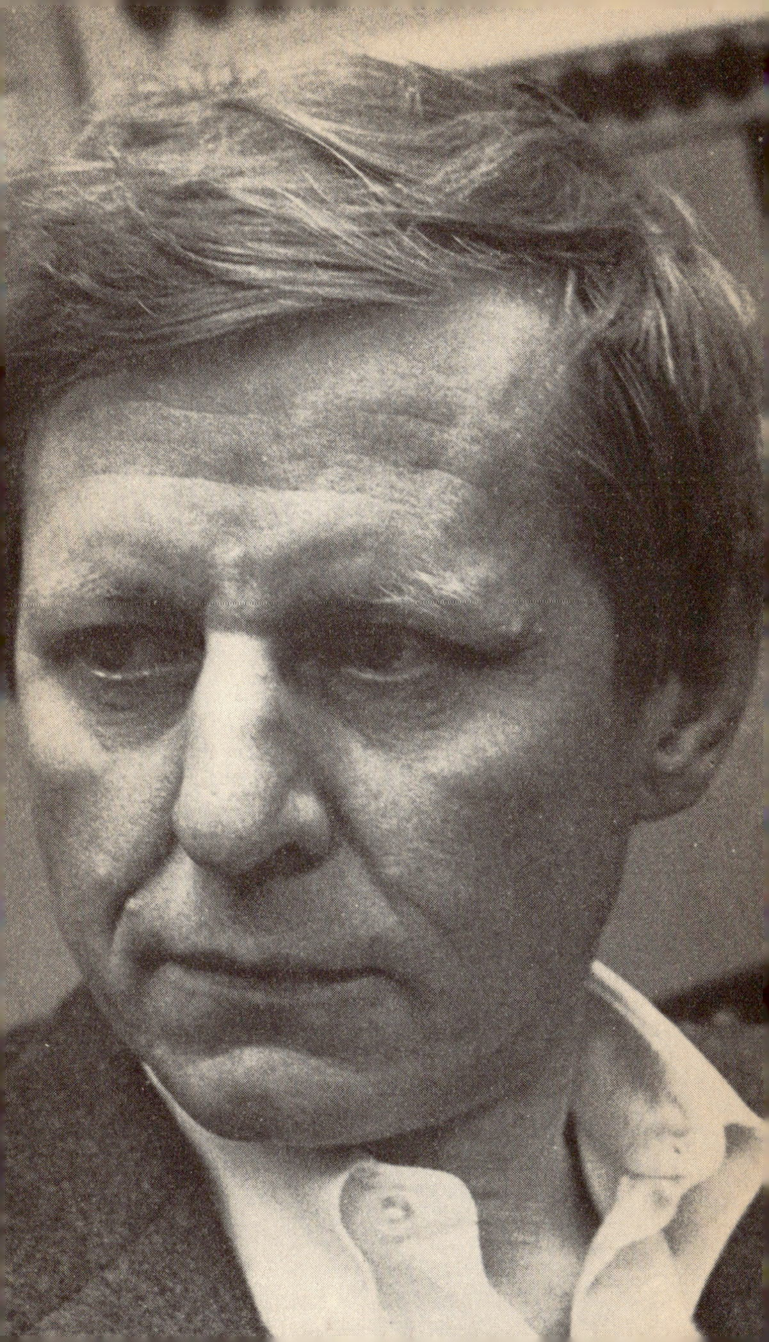

Hans Magnus Enzensberger

Die Furie des Verschwindens

Gedichte

Suhrkamp

edition suhrkamp 1066
Neue Folge Band 66

Satz: LibroSatz, Kriftel. Druck: Ebner Ulm.
Umschlagentwurf: Willy Fleckhaus
Printed in Germany.

Tränen der Dankbarkeit

Andenken

Also was die siebziger Jahre betrifft,
kann ich mich kurz fassen.
Die Auskunft war immer besetzt.
Die wundersame Brotvermehrung
beschränkte sich auf Düsseldorf und Umgebung.
Die furchtbare Nachricht lief über den Ticker,
wurde zur Kenntnis genommen und archiviert.

Widerstandslos, im großen und ganzen,
haben sie sich selber verschluckt,
die siebziger Jahre,
ohne Gewähr für Nachgeborene,
Türken und Arbeitslose.
Daß irgendwer ihrer mit Nachsicht gedächte,
wäre zuviel verlangt.

Bericht aus Bonn

Im Presseamt immer noch Licht. Der Hausierer,
der Dunkelheit feilhält, immer mehr Dunkelheit,
wird für seinen Auftritt geschminkt.
»Wir gehen einem neuen Mittelalter entgegen.«
Das glaube ich kaum. Allerdings,
wie viele Aschbecher gibt es allein in
Bad Godesberg.
Wenn ich an die Türkinnen denke,
die sie jeden Abend ausleeren müssen,
Asche zu Asche, dann spüre ich
in der Gegend des Zwerchfells so etwas
wie meine unsterbliche Seele.
Alle diese Häuser gehören Hausbesitzern,
wie im Mittelalter, die Macht ist dumpf,
die Freude auch. Nur Wallfahrer
sind kaum unterwegs, Krüppel,
die um die Altäre kriechen, sind selten.
Nirgends werden Galgen errichtet. Ampeln,
Fußgängerzonen sind da, und statt der Pestkranken
und der Flagellanten geht dann und wann
mit einem wuschligen braunen Spaniel an der Leine
eine ältere Geisel im Pelzmantel
an der Amerikanischen Botschaft vorbei.

Unregierbarkeit

Komischer Ausdruck: »das System«.
Hier in der Gegend wird nur der Rasen gesprengt.
Gutachter fahren vor, legen ab,
mampfen still vor sich hin.
Völlige Übereinstimmung
in Verfahrensfragen.
Schade, daß niemand sich freut.

Ja, Ämterhäufung tut weh.
Leibwächter, die Bescheid wissen,
lümmeln am Swimming-Pool.
Zutraulich setzen sie ihre Haufen
hinter die Tiefgarage.
Gremien grübeln. Roß und Reiter,
ein fernes Wiehern draußen im Lande.

Hinter dem mitgenommenen Rhododendron
wird der Markt aufgerissen
für einen umwälzenden Joghurt
in eurostrategischer Sicht.
Neue Heimat. Dreimal täglich
Augentropfen gegen den Smog.
Selbst der Beton sieht hinfällig aus.

Deutsche Menschen von damals
hinken an langen Samstagen
durch die Parteienlandschaft,
unbeschwert. Taschentücher
wogen aus dem Gebüsch.
Die getreuen Scharfschützen sinds,
die zum Abschied winken.

Auf Garden-Parties inneres Ringen:
Beschaffungsprogramme für Nervengas,
Leertitel für den Nachwuchsfilm.
Persönliche Referenten,
die einander ans Portepee fassen.
Scheidung auf Krankenschein, heißt es,
sei auch nicht das Wahre.

Jetzt auf einmal! Idyllischer Stunk.
Mit immer kürzer werdenden Beinen
watschelt die Macht in die Zukunft.
Ein Tellerwäscher aus Sarajevo,
der Teller wäscht, eine Putzkolonne
vom Schnelldienst: niemand sonst
rührt weit und breit einen Finger.

Die Dreiunddreißigjährige

Sie hat sich das alles ganz anders vorgestellt.
Immer diese verrosteten Volkswagen.
Einmal hätte sie fast einen Bäcker geheiratet.
Erst hat sie Hesse gelesen, dann Handke.
Jetzt löst sie öfter Silbenrätsel im Bett.
Von Männern läßt sie sich nichts gefallen.
Jahrelang war sie Trotzkistin, aber auf ihre Art.
Sie hat nie eine Brotmarke in der Hand gehabt.
Wenn sie an Kambodscha denkt, wird ihr ganz
schlecht.
Ihr letzter Freund, der Professor, wollte immer
verhaut werden.
Grünliche Batik-Kleider, die ihr zu weit sind.
Blattläuse auf der Zimmerlinde.
Eigentlich wollte sie malen, oder auswandern.
Ihre Dissertation, *Klassenkämpfe in Ulm, 1500*
bis 1512, und ihre Spuren im Volkslied:
Stipendien, Anfänge und ein Koffer voller Notizen.
Manchmal schickt ihr die Großmutter Geld.
Zaghafte Tänze im Badezimmer, kleine Grimassen,
stundenlang Gurkenmilch vor dem Spiegel.
Sie sagt: Ich werde schon nicht verhungern.
Wenn sie weint, sieht sie aus wie neunzehn.

Der Angestellte

Nie hat er jemanden umgebracht. Nein,
er wirft aus Versehen Flaschen um.
Er möchte gern, schwitzt, verliert
seinen liebsten Schlüssel. Immerzu
erkältet er sich. Er weiß, daß er muß.
Er mutet sich Mut zu, er gähnt,
er tupft seinen Gram auf den Putz.
Er denkt, lieber nicht. Eingezwängt
in zwei Schuhe, beteuert er bleich
das Gegenteil. Ja, er meldet sich an
und ab. Das Gegenteil sagt er von dem,
was er sagen wollte. Eigentlich, sagt er,
eigentlich nicht. Der Anzug ist ihm zu eng,
zu weit. Seine Stelle schmerzt. Nein,
seine eigene Handschrift kann er schon längst
nicht mehr lesen. Er hat sich scheiden lassen,
vergebens. Kein Mensch ruft ihn an. Überall
juckt es ihn. Sein Kugelschreiber läuft aus,
beim besten Willen. Er ist öfters vorhanden,
in jedem Zimmer einmal, immer allein.
Er schneidet sich beim Rasieren. Ja,
er paßt nämlich immer auf, sonst
kann er nicht schlafen. Er schläft.
Alles meckert, alles was recht ist,
alles lacht über ihn. Er merkt nicht,
was los ist. Das merkt er. Sein Kopfweh

ist unpolitisch. Er stellt sich an,
er stottert schon wieder, verschluckt sich.
Was er vorhin hat sagen wollen, das hat er
vorhin vergessen. Er hat vergessen,
sich umzubringen. Beim besten Willen.
Heimlich lebt er. Nein, er darf nicht,
aber er müßte. Er hat keinen Krebs,
aber das weiß er nicht. Sein Hut schwitzt.
Es ist ihm noch nie so gut gegangen
wie jetzt. Eigentlich möchte er nicht,
aber er muß. Er weint beim Friseur. Ja,
er ist anstellig, er entschuldigt sich.
Ja, er schreibt, ja, er kratzt sich,
ja, er müßte, aber er darf nicht,
nein, seinen Jammer hat niemand bemerkt.

Die Scheidung

Erst war es nur ein unmerkliches Beben der Haut –
»Wie du meinst« –, dort wo das Fleisch am
dunkelsten ist.
»Was hast du?« – Nichts. Milchige Träume
von Umarmungen, aber am anderen Morgen
sieht der andere anders aus, sonderbar knochig.
Messerscharfe Mißverständnisse. »Damals in
Rom – «
Das habe ich nie gesagt. – Pause. Rasendes
Herzklopfen,
eine Art Haß, sonderbar. – »Darum geht es nicht.«
Wiederholungen. Strahlend hell die Gewißheit:
Von nun an ist alles falsch. Geruchlos und scharf,
wie ein Paßfoto, diese unbekannte Person
mit dem Teeglas am Tisch, mit starren Augen.
Es hat keinen Zweck keinen Zweck keinen Zweck:
Litanei im Kopf, ein Anflug von Übelkeit.
Ende der Vorwürfe. Langsam füllt sich
das ganze Zimmer bis zur Decke mit Schuld.
Die klagende Stimme ist fremd, nur die Schuhe,
die krachend zu Boden fallen, die Schuhe nicht.
Das nächste Mal, in einem leeren Restaurant,
Zeitlupe, Brotbrösel, wird über Geld gesprochen,
lachend. Der Nachtisch schmeckt nach Metall.
Zwei Unberührbare. Schrille Vernunft.
»Alles halb so schlimm.« Aber nachts

die Rachsucht, der stumme Kampf, anonym,
wie zwei knochige Advokaten, zwei große Krebse
im Wasser. Dann die Erschöpfung. Langsam
blättert der Schorf ab. Ein neues Tabakgeschäft,
eine neue Adresse. Parias, schrecklich erleichtert.
Blasser werdende Schatten. Dies sind die Akten.
Dies ist der Schlüsselbund. Dies ist die Narbe.

Die müde Sache

Der alte Kühlschrank hustet und bebt eine Weile.
Aus dem Nebenzimmer ruft jemand: Nicht um uns
geht es hier, es geht um die Sache! – Allerhand
(sage ich), solche Töne, lange nicht mehr gehört.
Das muß der Schulfunk sein. Du natürlich, angeödet
wie immer, schweigst! – Finsteres Schweigen. –
Siehst du denn nicht, wie heroisch und lieb wir sind
in unseren riesigen Badewannen (fahre ich fort),
und begeistert dich nicht dieses Weitermachen,
mit dem Glas in der Hand, im Bett, politisch
und so weiter, dieses glucksende Weitermachen
im Software-Bereich, bei guten, was sag ich,
vorbildlichen Sozialleistungen? – Eine müde Sache
(sagst du), alles Tautologien, Klappentexte. –
Zugegeben. Geschenkt. Aber du hast leicht reden
(erwidere ich), du kennst die Versuchung nicht,
aufzuhören, ganz einfach aufzuhören. Oder? –
Finsteres Schweigen. – Tatsächlich, niemand
schreit.
Der Schmerz zerkrümelt im Schnellhefter. Ja.
Und deshalb
(sage ich) sage ich euch: Geht hin und buchet
in Frieden! Bucht für den ersten Montag im März,
und für den darauffolgenden Montag bucht
den Rückflug, dies ist meine Predigt, löffelt
und laßt euch nicht stören, rennt in die Therapie

und spart auf den schlüsselfertigen Schrecken
im Süden, siehe, das Leben liegt vor euch
wie ein Dauerauftrag, und ihr könnt durchwählen,
sogar nach Brisbane und Osnabrück. – Die Eiszeit
mit Zündhölzern zu bekämpfen (sagst du), das ist
eine müde Sache. – Jetzt schweigt der
Kühlschrank. –
Wo kämen wir hin, murmelt auf UKW aus dem
Nebenzimmer
ein Sachbearbeiter, lieb und heroisch. Man kann
(stottert er) doch nicht alles haben! – Es klingelt.
Der Notarzt ist an der Tür. Er meint, das sei ganz
normal,
mit Rückschlägen müsse man rechnen, Hauptsache
Erst Einmal Weitermachen. – Begreifst du jetzt?
Es geht
um die Sache, die müde Sache. – Finsteres
Schweigen. –
Krümel im Ohr, wähle ich durch und löffle.
Zündhölzer
zischen. Liebevoll setze ich, rasselnd und hustend,
meine Predigt fort in der schneeweißen
Badewanne.

Autobahndreieck Feucht

Tiraden, angeschnallt und erbittert, über
Ledersitze,
Alu-Motoren, Flüche beim Überholen,
Erkenntnisse
über Prämien, Ersatzteilprobleme, endlich
der nächtliche Stau, das Blaulicht, die Bahre.

Schräg von unten siehst du die Instrumente
funkeln
im Gegenlicht der Narkose. Dann die Schwester
in Weiß,
wie sie fernsieht, den weißen Knopf im Ohr.
Dramen
flackern geräuschlos über ihr dunkles Gesicht.

Ein Knirschen im Kopf. Nur jetzt um keinen Preis
in den Rückspiegel sehen. Zentralverriegelung.
Selbst das Schreien tut weh. Langsam steigen
Bläschen auf, glänzende Perlen im Schlauch.

Der Stau hat sich aufgelöst, es geht zügig voran.
Nur die Federung eine Spur zu weich, die
Bremsbeläge
müssen erneuert werden, dagegen die Straßenlage:
phantastisch. Alles in Stereo, auch der
Trommelwirbel,

das Zischen der blauen Flamme, wenn im Graben
das Wrack
aufgeschweißt wird, das Prasseln des nassen
Erdreichs,
das von der funkelnden Schaufel fällt, später, genau
zwischen deine brillenlosen halb geöffneten Augen.

Rhein-Main

Ding dang dong. Mischmasch. Durchsagen auf Japanisch.
Im Kerosindunst zerfließen die stumpfen Panzer
hinter dem Glas, auf dem heißen Vorfeld. Schlieren
im Auge, Münzen in der schweißnassen Faust.
Immer besetzt. Dann wieder läßt du es läuten
und läuten. Überall Koffer. Erbittert wähle ich,
hänge ein, wähle. Endlich sagst du Ja, matt.
Ein Junge, ein kleiner Junge, mit Donald Duck
auf dem Hemd, hämmert grinsend gegen die Tür.
Ich muß dich unbedingt sehen. Check-in B 12.
Ja, eben gelandet. Wieso? Zwei Tage. Moment!
Bist du allein? Stimmen im Hintergrund, Flüstern.
Wer ist bei dir? Du lügst! Herr Doktor Kabis
wird zur Information gebeten. Im Bad. Ich sagte:
Ich war gerade im Bad. Welcher Bob? Am Dienstag.
Das hab ich dir doch erzählt. Herr Kabis bitte.
Du bist so komisch. Wieso? Bitte zahlen. Ein Berg
von Münzen hastig verschluckt. Ich beschwöre dich.
In der Leitung ein Greis. Staupe, verstehen Sie.
Du bist langweilig. Darum geht es nicht. Es ist
die Staupe. Verspätungen, Bummelstreiks. Warum
hältst du die Hand vor die Muschel? Kein Tierarzt
am Wochenende. Ach wo, das ist nur das Radio.
Der klebrige Hörer. Ich versuche dir ja zu glauben.

Klick. Bitte zahlen. Mitten im Wort. Zwei Nonnen
sehe ich durch das Glas auf der Rolltreppe,
ganz in Weiß, starren Blickes, gen Himmel fahren.

Nach dem Totalschaden

Sechs Wochen im Westend-Krankenhaus,
ach, wenn es sonst nichts gewesen wäre,
wissen Sie, das alles kam noch dazu,
das ist erwiesen, ich kann nichts dafür,
die Stelle war weg, das Geld, die Lust,
die Beihilfen ausgelaufen, unvorstellbar,
ich möchte nicht davon sprechen,
es ist nämlich so, mein Feind hat recht,
ich bin nichts, ich tauge nichts, also gut,
ich möchte nicht übertreiben, ich schrie,
ich wandte mich an das Beschaffungsprogramm,
jawohl, ich lachte innerlich, wußte genau,
daß alles umsonst war. Sliwowitz trank ich
Nacht für Nacht, Liebe war keine da,
was wissen denn Sie, wie das schmeckt,
abscheulich, Sliwowitz, nein, sagte meine Frau,
ich gehe zu meiner Mutter, auch gut, Schluß,
natürlich wurde das Telephon gesperrt,
ich wälzte mich hin und her, ich war baff,
ich dachte an Freud mit seinem Rachenkrebs
auf der Ottomane, diese schweren Brasil-
Zigarren hat er geraucht, bis zuletzt,
warum nicht, ich lachte, nach Essen roch es,
ich horchte, die Sozialhelfer raschelten
wie Mäuse im Flur, ich lallte, ich gähnte,
bis endlich der Tag der Rache kam, ja,

ich stand auf, ja, ich ging hin, taumelnd,
ich packte den Aktenhund, zwei Zentner Stahl,
nahm einen Anlauf, zielte auf meinen Feind,
los los schrie ich, und dann ließ ich los,
den Rest erfahren Sie aus dem Polizeibericht,
jawoll, so war es, ich sage es so wie ich bin
und liege, ich schweige davon, zusammengerollt,
so wahr mir Gott helfe, im toten Winkel, baff,
nach Sliwowitz riechend, mein lieber Mann,
ich gähne, ich möchte nicht übertreiben.

Der Urlaub

Jetzt, wo er frei hat, verhältnismäßig, schlurft er
oft um die Tennisplätze, läßt sich rasieren, liest.
Schwarzhändler wispern, Turnschuhe hecheln
vorbei.
Starrend vor Palmen dehnt sich die Welt
am Sonntag. Im Palace brüten die ersten Huren
über dem Frühstück. Alles klar, alles fusselt.
Menschenskind, Mecki, ruft es vom Nebentisch.
Heulendes Elend am Strand. Umständehalber
schmelzen Peseten. Zufallsbekanntschaften,
sehnsüchtig eingekremt. »Was sagst du dazu, José,
wenn ich heut nacht mit dir geh? Olé, olé, olé.«
Ekelhaft, dieser Tintenfisch auf dem Teller.
Das gähnende Zimmer. Sand in den Handtüchern.
Ein helles Insekt, das sich gegen die Birne wirft.
Siebzehn senkrecht: Griechische Fruchtbarkeits-
göttin.
Die Dusche riecht muffig. Auf der Straße kichert es.
Motorräder starten. Dann ist nur noch das Meer da,
das in der Ferne ächzt. Nein, nebenan ist es,
nebenan stirbt eine Frau oder liebt sich selbst.
Olé, olé, was sagst du dazu, José? Er horcht.
Weiß im Zahnputzglas wimmeln die Schlaftabletten.

Ein Treppenhaus

Wenn du nach Dublin kommst, sagte sie damals,
die Adresse hast du ja. Also sitze ich hier
auf der letzten Stufe, unter dem Dach,
im Halbdunkel, ab und zu hallen Schritte
von unten her, klackende Hacken, dann
schlägt eine Tür, Stille. Schläfrig,
im Licht des Feuerzeugs, lese ich,
neben die brüchige Tür mit grünem Filz
an die Wand geschrieben: *Komme gleich wieder,*
mit Lippenstift: *Molly war da. Ruf mich an,*
und unter dem abgerissenen Klingeldraht
eine Telefonnummer. Wie viele Jahre lang
wird das noch alles da stehen, die Wörter,
die Wände? Niemand kommt. Und ich frage mich,
wie sie aussah. Nur was mich störte,
das weiß ich noch: ihr elektrisches Zappeln,
der Jodgeruch, das Gelb im Weiß ihrer Augen,
die Puderflecken, das alte Feldbett und später
das Heulen des Teekessels auf dem Herd.
Eine Fremde. Ich rühre mich nicht.
Am liebsten bliebe ich hier, summend,
im Treppenhaus, bis der Bulldozer kommt.

Stadtrundfahrt

Da drüben kauert der Schuhputzer,
der keine Schuhe mehr braucht;
denn seine Beine sind verfault
im Fernen Osten vor langer Zeit.

Das ist der Rauch von den Werften.

Dieses Café war früher ganz schwarz
von Hausierern und armen Dichtern.
Spitzel wie Mücken saßen dort
und tranken aus kleinen Tassen Blut.

Hier gibt es weiche Mädchen
gegen harte Devisen.
Das Pflaster ist aufgerissen.
Dort standen damals die Panzer.

Da ist im Sommer immer
der Kaiser spazierengefahren –
Stadtwäldchenallee, heute Gorkij fasor.
Das ist das Zentralkomitee.

Das ist der Rauch von den Schlachthöfen.

Hier ist mein Freund Sandór geboren
vor dem Zweiten Weltkrieg,

in der Beletage,
wo es Tag und Nacht dunkel war.

Siehst du den Rauch?

Diese Brücke war ganz zerstört.
Hier trinken die reichen Dichter Tee
und schimpfen leise,
und dort wird das neue Hilton gebaut.

Auf dieser wackligen Parkbank
sitzt manchmal ein alter Mann,
der manchmal die Wahrheit sagt.
Heute ist er nicht da.

Aber der Rauch. Siehst du den Rauch,

den alten Rauch über Budapest?

Kurze Geschichte der Bourgeoisie

Dies war der Augenblick, da wir,
ohne es zu bemerken, fünf Minuten lang
unermeßlich reich waren, großzügig
und elektrisch, gekühlt im Juli,
oder für den Fall daß es November war,
loderte das eingeflogene finnische Holz
in den Renaissancekaminen. Komisch,
alles war da, flog sich ein,
gewissermaßen von selber. Elegant
waren wir, niemand konnte uns leiden.
Wir warfen um uns mit Solokonzerten,
Chips, Orchideen in Cellophan. Wolken,
die Ich sagten. Einmalig!

Überallhin Linienflüge. Selbst unsre Seufzer
gingen auf Scheckkarte. Wie die Rohrspatzen
schimpften wir durcheinander. Jedermann
hatte sein eigenes Unglück unter dem Sitz,
griffbereit. Eigentlich schade drum.
Es war so praktisch. Das Wasser
floß aus den Wasserhähnen wie nichts.
Wißt ihr noch? Einfach betäubt
von unsern winzigen Gefühlen,
aßen wir wenig. Hätten wir nur geahnt,

daß das alles vorbei sein würde
in fünf Minuten, das Roastbeef Wellington
hätte uns anders, ganz anders geschmeckt.

Tränen der Dankbarkeit

In guter, in bevorzugter Wohnlage,
auf Liegestühlen, im Spätsommer,
würgende Vorahnungen, danke schön.
Danke für die Plastiktüte über dem Kopf
und für den eintönigen Schwanengesang
am anderen Ende der Leitung. Oh!
Konjunkturprogramme! Kleine Zauberer,
die aus den Kartoffelkellern kriechen!
Herzlichen Dank! Auffallend stark,
dieser Müllgeruch für geladene Gäste.
Ich weiß nicht, wie ich Ihnen danken soll.
Wirklich nicht. Tausend Dank auch
für den Tausendmarkschein als Handtuch,
für den Fallschirm, der sich nicht öffnet.
Manchen sehr kommunistischen Parteien,
die sich, handtellergroß, in ihren Tretmühlen
drehen und deutsch sind, verdanke ich manches.
Auf den Flughäfen höflich Hände hoch,
danke gleichfalls. Ich habe für Berge
und Berge von alten Autoreifen zu danken,
für unendlich langsame zahme Streiks,
für den Überbau, der beliebig viele
Zitate liefert, überströmenden Dank,
für diese Mitbringsel, für diese praktisch
unschädlichen Liebesperlen, für diese Haft-
erleichterungen in allen möglichen Farben.

Das Falsche

Ein Freund von mir, Ost-Berlin, Leipziger Straße,
Deutsche Akademie, hat der Forschung unlängst
ein vollkommen neues Feld eröffnet:
die Fehlerlinguistik. Ja,
da hätte man viel zu tun.

Als Laie kann ich mir kein Urteil erlauben,
doch ich habe den Eindruck,
die Fehler vermehren sich:
Weiße Mäuse, Albinos mit roten Augen,
die übereinander klettern,
über Sessel und Betten,
und immer mehr weiße Mäuse werfen.

Gespräche am Bankschalter,
Ansichten über die Viererbande,
Richtlinien für die Zukunft des Menschen-
geschlechts.
Falsches Bewußtsein, sagen die Philosophen.
Wenn es nur das wäre.

Bremsen oder beschleunigen,
Hosen mit oder ohne Aufschlag,
deine Moral oder meine.
Wer sich im Recht wähnt,
ist schon gerichtet.

Sich freischaufeln aus einem Berg
von immer mehr rostigen Schaufeln,
mit bloßen Händen – ich fürchte,
das hat keinen Zweck. Alles verkehrt,
vermutlich auch dieser Satz.

Wenn man den eigenen Worten
eine Zeitlang zuhört,
wie sie dröhnen im eigenen Kopf –
man möchte die Augen zudrücken
wie ein kleines Kind,
sich die Ohren zuhalten
und am liebsten gar nichts mehr sagen.
Aber das wäre falsch.

Die Frösche von Bikini

Die Frösche von Bikini

Bohrende Fragen, Gestichel, Einwände:
Er halte inne, höre zu, aufmerksam,
lasse sich alles gesagt sein.
Die unerfüllbaren Forderungen
seien berechtigt.
Die Vorwürfe zu entkräften
sei er nicht in der Lage.
Nur eines bitte er höflich
nicht zu erwähnen: seine Probleme.

Wenn er das schon höre –
vorgestern erst, auf dem Heimweg,
zwischen Ambulanzen und Betonmischmaschinen,
durch die halb offene Tür einer Telefonzelle:
»Meine Probleme« –
ein quakendes Geräusch aus der Leitung,
oder auch auf Kongressen,
in therapeutischer Absicht:
»Wege zur Selbsterfahrung« –
offenbar gar kein Vergleich
mit anderen Wirbeltieren!

Nein, auf Selbsterfahrung lege er keinen Wert,
und Probleme habe er nicht,
wenigstens keine »eigenen«. Plötzlich,
am Abend, die Übelkeit ohne Ursache,

oder »die Unterdrückung« (im Allgemeinen),
oder die Kreidestriche im Scheinwerferlicht
um einen Fleck auf der Autobahn –
er meine besonders die Kreidestriche – :
was daran Besonderes sei,
vermöge er nicht zu erkennen.
Er müsse auf seine Stimme hören,
das sei alles.

Gewisse Geister im Schrank, gewisse Adressen –
da draußen, auf einer staubigen Bank
am Mariannenplatz –
ein Pakistani schlurft vorbei –
Ecke Oranienburger würgt etwas,
privat, unbemerkt, erstickt
und steht nicht mehr auf.

Während ich, sagt er,
weil mir nichts anderes übrigbleibt,
horche, auf jene Stimme,
auf daß sie mir sage wohin,
mit wem, wozu – *meine* Stimme,
sagt er, die sich nicht vernehmen läßt,
und das unterscheidet mich von den Irren –,
weint Fräulein Bausch vor dem Spiegel,
magersüchtig, Ansbacher Straße,
vierter Stock, Gartenhaus –
er deute das alles nur an.

Allzu viele Verluste, süße Isolation,
manches, in dem er nicht mehr enthalten sei;
ferner das Alter, die Wiederholungen
und das Geld. Allerdings, behauptet er,
suchte ich, schuftete, schimpfte,
war ehrgeizig wie ein Idiot,
wurde verlassen, verließ,
und wollte alles zerbrechen.

Damals sei der Hunger größer gewesen.
Zerbrochen habe er nichts.
Ob Wiederholungen so etwas Schlechtes seien,
wisse er nicht genau.
Ohne Zwangsvorstellung
gebe es keine Liebe und keine Arbeit.

Das ist von mir! ruft Engelchen,
das könnte von mir sein! das ist gut! –
bekifft, rote Flecken im Gesicht –,
wirft das Buch weg, schminkt sich,
rauft sich die Haare. Dieser Geruch
aus dem Schlafzimmer,
was ist das? Ammoniak, Gas?
Macht doch die Fenster auf, schnell,
oder schlagt die Tür ein –
merkt denn kein Nachbar was?
Aber die Droysenstraße
liegt völlig verlassen da.

Im August, an entlegenen Stellen,
Schilf und so weiter, Teichlinsen,
höre er, im Licht eines Satelliten,
voller Genugtuung nach Programmschluß
den Fröschen zu. Restbestände.
Diese Vorliebe für alte Häuser,
alte Freiheiten, aussterbende Tiere.
Nichts Besonderes. Aber das Recht
zu quaken und nicht zu quaken –
ihm liege es nun einmal am Herzen,
er bestehe darauf.

Am hellen Nachmittag, anderswo,
verdunkelte Räume. Hier
sind die Vorhänge dick, die Nadeln
glänzen, die Wandtafel mit den Linien
rollt sich im Rauch, es riecht
nach Kampfer. Tiefe Stiche
unter die Haut, natürlich
zum Wohle des Ganzen.
Unblutig lächelt der Akupunkteur.

Oder jene Sitzungen,
auf denen es üblich war,
im Namen der Arbeiterklasse
einander das Nasenbein einzuschlagen,
im übertragenen Sinne natürlich –

Und nun, mein Lieber, haben Sie resigniert?

Nach längerem Nachdenken antwortet er:
Ich bin immer noch da. Und:
Es ist an mir, wie ich glaube,
eine gewisse Beharrlichkeit festzustellen.

Sich Abfinden sei etwas für Optimisten
oder für Tote, etwas Jenseitiges,
komme mithin im Kosmos nicht vor,
sei auch in Friedenau,
dem Stadtviertel, wo er wohne,
eine unbekannte Erscheinung –
ganz im Gegensatz zu Amokläufen,
Tablettenvergiftungen, Psychosen,
kurz, Tathandlungen, Ausbrüchen,
Zerfleischung und Gegenwehr.

Nichts bleibt, wie es ist,
glücklicherweise.
Nicht nur der Frosch,
auch die Froschforschung
kann schließlich zurückblicken
auf Errungenschaften.
Ein ohrenbetäubendes Spektakel.

Auch er werde immer besser,
unwillkürlich, genau wie die Krankheiten,
wie die Zahnkrem, das soziale Netz.
»Auf erweiterter Stufenleiter,«
höre er seine Freunde rufen

von nebenan – »naturwüchsig« –,
und er rufe zurück: Eureka!
Meine Guten, nennt mir doch etwas,
das nicht naturwüchsig wäre.

Vom Laich zur Kaulquappe,
von der Kaulquappe zum Frosch,
vom Frosch zum Fossil.
Ach, was wären wir ohne die erste Evolution,
und die zweite, was wäre sie ohne uns!
Ohne quak wäre quak nicht quak,
und umgekehrt. Wohin er auch höre,
keine Stimme, nur
der wunderbare Gesang der Mutanten.

Ohrenbetäubend und immer neu
ineinander verbissen
diese subtilen Nahrungsketten,
und weich und stumm
ineinander verschlungen
die grauen Lappen der Rinde.

»Über einige strukturelle Eigentümlichkeiten
des sozialen Verhaltens bei *rana rana*«:
All die Fossilien im Sediment
unseres Gehirns rühren sich,
zappeln, elektrisieren uns:
die Erste, die Zweite, die Dritte Natur,
etc. (N_1, N_2, N_3, . . . N_n).

Selbst jene Wolke dort, die er,
vor sich hinmurmelnd, betrachte,
voller Genugtuung, habe sich,
während er murmle, verändert,
naturwüchsig, wattig, fern,
wie gewisse Wörter,
im Aussterben begriffen,
die ihm teuer seien, wie »Wollust«,
»Verlangen«, »Begierde« – Zustände,
instabil wie das Positron,
doch längst nicht so gut erforscht.

Auch jenes wachsverklebte Bett,
jenes Zimmer, schwarz gestreift
vom Ruß der Kerzen, hat eine Adresse;
ihr blakendes Licht,
die achtlos wechselnden Tageszeiten –
ich werde das Haus nicht wiederfinden.

Oder Bikini. Er denke oft an Bikini.
Alles sei wieder da,
dreißig Jahre nach der Apokalypse,
»auf erweiterter Stufenleiter«.
Laubfrösche, taufrisch,
unaufhaltsam. Ein Klettern sei das,
eine Akrobatik, sogar das Wetter
mache Fortschritte. Das Weiß
der Strände, menschenleer –

Wie am gestirnten Himmel über uns
die harte Strahlung, der Helium-Flash,
die hemmungslose Verschwendung,
so auch hienieden. Das Glück –
er wage es kaum, das Wort
in den Mund zu nehmen –, das Glück,
selten, plötzlich, unzweifelhaft
(je nach Chromosomensatz, Klassenlage,
Hormonspiegel, Uhrzeit),
sei vielleicht das letzte Verbrechen.

Der Mann, der am Sonntag verzweifeln muß,
weil am Sonntag das Telefonieren billiger ist,
der Mann, der an den Worten seiner Frau,
einer Fremden hängt, wie an einem Strick,
dieser Mann sei er. Du
hättest nicht zu betteln, ich
hätte dich nicht zu schlagen, wir
hätten einander nicht zu verlieren brauchen –
das alles am Telefon, das alles am Sonntag,
und anderen Leuten, das wisse er wohl,
schiene dieser Abgrund vielleicht
nur ein paar Zentimeter tief –

Gleich bin ich fertig; an meinem Leumund
liegt mir nichts; mein Abschreiber,
mein Polyp, mein Blutegel, Professor Fels,
der »über mich arbeitet« – einer von denen –,
siehe, er langweilt sich schon.

Im übrigen bin ich Zuschauer. Ja,
ich schaue zu. Diese Pflichtübungen,
Maiandachten und Prozessionen,
behauptet er, habe er satt. Bis zum Hals
in löchrigen Schnürstiefeln
eine Halde von alten Schuhen zu überqueren
mit durchgelaufenen Sohlen –
wenn das der Neue Mensch sei,
dann lieber nicht.

Der hat leicht reden.
Und wie stehts mit dem Geld?

Wohnungen, Wagen, Steuerbescheide:
ja, meine Liebste, es stimmt,
ich habe manchmal daran gedacht,
an die Sicherheit, daß ich nicht lache,
wie der Laubfrosch im Glas.
Aber sie beruhigt mich nicht,
die Sicherheit, sie macht Angst.
Daher, glaub mir, kommt meine Ruhe nicht.
Sie nickt verächtlich und geht,
die eine, die mit den hellen Augen,
aber die andere, die keine Furcht hat
und klüger ist, sie wird mir glauben.
Und es ist wahr, daß ich niemanden finde,
der zu beneiden wäre.

Wahr ist (*stockend, niedergeschlagen*),

daß ich den Schmerz nicht verstehen kann
in eurem Namen. Teilnahmslos
bin ich nicht, sondern geständig.
(*Matt. Zu sich selber.*) Merkwürdig,
was einem alles sympathisch wird mit der Zeit.
Was alles von selber verschwindet.
Was einen dauert. (*Pause. Drohend.*)
Aber ich kann auch anders.
Laßt mir Herrn Dr. Benn in Ruhe!
Belle-Alliance-Straße, alle Kassen.
Seine Patienten jedenfalls
haben sich nie über ihn beklagt.

(*Leise.*) Bis zu einem gewissen Grad
mache ich gemeinsame Sache mit euch.
Aber wir wollen nicht übertreiben.
(*Sehr bestimmt.*) Meine Ruhe,
soweit davon die Rede sein kann,
ist nicht terroristisch. (*Brüsk.*)
Was, Lichtblicke? Oh,
Lichtblicke gibt es genug. Nur da nicht,
wo ihr sie sucht, oder ich.
Utopien? Gewiß, aber wo?
Wir sehen sie nicht. Wir fühlen sie nur
wie das Messer im Rücken.

Unter diesen Umständen müsse er sich
zuweilen der Stimme enthalten.
Er höre die Stecknadeln fallen,

während die Frösche sich heiser schrien
in den Bombenkratern des Fortschritts,
wo der Regen neue Tümpel bildet,
naturwüchsig: N_n sive deus.
Nicht ohne Zuversicht erwarte er
die Abschaffung unsrer Abschaffungen.
Ein schöner Septembertag.
Klammer zu. Ende der Abschweifung.

Seine Lieblingsdroge
sei die Aufmerksamkeit.
Auf die tägliche Prise
von ideologischem Kokain
könne er notfalls verzichten;
und wenn es schon nicht abgehe ohne Moral –
die seine bestehe darin,
nicht zu ermüden. Aufmerksam
wie seine Freundin beim Schminken,
wie der Moskito im Schlafzimmer,
wie der Spitzel vor jedermanns Haus,
wie der Frosch, der ins Wasser springt
bei der geringsten Bewegung,
(und aus ähnlichen Gründen)
betrachte er alles, was der Fall sei.
Seine fünfundzwanzig Sinne reichten hin,
ein Gehirn zu beschäftigen.

Nebenan Kirchenlieder,
gesungen von ältlichen Adventisten.

Friedenau. Wolkenfelder.
Die Massaker, zu denen »es kommt«.
»Historisch«. Sag mir doch etwas,
das nicht »historisch« wäre.
Er murmelt das alles vor sich hin, zerstreut,
abgelenkt von den hundertzwölftausend Farben,
die sein Auge unterscheiden kann.

Einmal, Richtung Bodensee, an der Ausfahrt,
war etwas Weiches zu sehen,
glitzernd im Scheinwerferlicht.
Rettungsfahrzeuge, Männer mit Stangen,
mit Netzen. Ein schwaches Geräusch
unter den Rädern, schlürfend, feucht,
übertönt im Fond von der Kadenz,
Mozart, Klavierkonzert, zweiter Satz –
diese ländliche Gegend,
Flach- und Zwischenmoor,
für die Frösche auf ihrer Wanderung
war sie Bikini.

Da ich aber beschlossen habe,
unauffällig zu sein,
bescheiden, maßvoll und höflich,
und da es nicht üblich ist,
einander laut zu verfluchen,
werde ich meinen Zettel
nicht auseinanderfalten,

die Liste der Ungeheuer
in winziger Schrift, wie das Vaterunser,
in einen Kirschkern geritzt, –
auch weil der Zettel, entfaltet,
uns alle bedecken würde.

Verschwendete Flüche tragen nicht weit.
Ich spare, ich kratze zusammen
das, was ich habe, ich laure,
bis er die Glastür aufstößt
mit seinem glänzenden weißen Gesicht,
der Pharisäer, der ewiglich
bessere Mensch, die Sau
mit dem guten Gewissen:
ihm werfe ich meinen Fluch
vor den Bauch, meine Bombe.

Wer ist hier der Pharisäer?
Wie alt sind Sie überhaupt?
Meinen Sie etwa mich?
Sind Sie verrückt,
einfach hier anzurufen
am Sonntagnachmittag?
Was soll das heißen, Ungeheuer?
Von jetzt an nehme ich jedes Wort,
das Sie sagen, auf Band.

Das alles ist schon eine Weile her.
Hier, weit draußen, Altbau,

Blick auf den Garten,
sind keine Frösche zu hören.
Ich schaue zu. Ich merke, was los ist.
Diese Wolke dort drüben stirbt
vollkommen still. Ich habe verlernt
zu sagen: »Im Gegenteil«.
Hier ist nichts los. Ich warte,
ruhig. Irgendwo kämpfen die Feinde,
nach wie vor, die alten Feinde,
immer ähnlicher einer dem andern,
gleichgültiger, ferner,
immer woanders.

Aber ich bin doch hier,
ich hänge an euch, ich brüte doch
über euerm Brüten. Im toten Winkel,
hinter den ringsum aufgetürmten,
undurchschaubaren, sperrigen Möbeln
atmet es, eingepreßt –
verstellt euch nicht! Ihr hört es
so gut wie ich: ein, aus,
ein, aus – dieser Blasebalg,
den wir nicht sehen können –,
ich kann ihn nicht sehen,
wie er da liegt im Staub und regelmäßig,
regelmäßig, regelmäßig ächzt, ledern
keucht –, davon, davon
erzähle ich euch, dumpf und regelmäßig.

Ich will nicht, daß ihr ihn tauft,
bezeichnet, diskutiert, diesen Balg.
Horcht lieber, mir zuliebe,
ich bitte euch, oder lacht.

Lacht nur! Das macht doch nichts.
Zeit vergeht. Wenn ihr wollt,
halten wir einander den Mund zu,
wenn euch das lieber ist, auch die Ohren –

oder ihr schnupft, kaut, raucht, spritzt,
ich mache mit, ich bin dabei,
wir haben Zeit, macht das Licht an,
wer baden will, badet,
ich sage nicht: »Im Gegenteil«,
im Gegenteil! Werft die Kleider weg,
saugt aneinander,
wer nicht will, hat schon,
feuchtet euch an,
jeder nach seinen Bedürfnissen,
fünf Minuten vor zwölf.

Das könne lange dauern.
Er sei kein Prophet,
über manches rede er nicht,
er deute nur an, warte, und seine Stimme
lasse er nur deshalb erschallen,
weil sonst keine Stimme zu hören sei,
keine Angst, keine Tränen,

er sei ja da, er bleibe.

Ich bleibe, sagt er,
wir sagen einander ins Ohr,
was wir gewollt hätten,
wenn wir nicht dem Warten verfallen wären,
dem atemlosen selbstsüchtigen Horchen
auf unsern Atemzug, wie er dort hinten
rassle, im toten Winkel, innen
rassle, regelmäßig
rassle.

Die Furie des Verschwindens

Finnischer Tango

Was gestern abend war ist und ist nicht
Das kleine Boot das sich entfernt
und das kleine Boot das sich nähert
Das Haar das ganz nah war ist fremdes Haar
Das ist leicht gesagt   Das ist immer so
Der graue See ist doch der graue See
Das frische Brot von gestern abend ist hart
Niemand tanzt Niemand flüstert Niemand weint
Der Rauch ist verschwunden und nicht
verschwunden
Der graue See ist jetzt blau   Jemand ruft
Jemand lacht   Jemand ist fort
Es ist ganz hell   Es war halb dunkel
Das kleine Boot kehrt nicht immer zurück
Es ist dasselbe und nicht dasselbe
Niemand ist da   Der Felsen ist Felsen
Der Felsen hört auf Felsen zu sein
Der Felsen wird wieder zum Felsen
Das ist immer so   Es verschwindet
nichts und nichts bleibt   Was da war
ist und ist nicht und ist   Das
versteht niemand   Was gestern abend war
Das ist leicht gesagt   Wie hell
der Sommer hier ist und wie kurz

Die Lehre von den Kategorien

Der nasse Strauch,
der vor dem Fenster glänzt.
Schräges Licht.
»Die Kategorie
der Totalität.«
Vier Wörter tintenblau,
die langsam trocknen
auf dem Papier.

Das leise Gemurmel
auf den tödlichen Sitzungen.
Die Katze,
die mit dem Käfer spielt,
die Katze auf der Veranda.
Zwischen den fernen Ursachen
und den fernen Wirkungen
ein Haar,
das auf dem Kissen glüht.

Irgendein Imperialismus
herrscht.
Die Flechte am Torpfosten
überlebt.
Die wichtigen Ereignisse
ereignen sich.

Wie winzig sie sind,
wie grau und müde.
Wie unbesiegbar
der Zahnschmerz,
der mich jäh in der Nacht
erleuchtet.

Automat

Er zieht Zigaretten
für ein paar Mark Zigaretten

Er zieht den Krebs
er zieht die Apartheid
er zieht ein paar entfernte Massaker

Er zieht und zieht
doch indem er zieht
verschwindet alles was er zieht

Auch die Zigaretten verschwinden

Er blickt den Automaten an
Er sieht sich selber
Für einen Augenblick
sieht er aus wie ein Mensch

Dann verschwindet er wieder
Mit einem Klacks
fallen die Zigaretten

Er ist verschwunden
Es war nur ein Augenblick
Es war eine Art von Glück

Er ist verschwunden
Unter dem was er gezogen hat
liegt er begraben

Der Ablaß

Ihr wißt nicht, wovon ich rede. Klar.
Ihr glaubt, es hätte etwas mit Raten zu tun,
mit dem Numerus clausus oder mit dem Finanzamt.
Kein Wunder. An den Tankstellen und im Knast
und in der Diskothek wird kein Ablaß gewährt.
Wenn ihr mich fragt, war es auch früher
nicht weit mit ihm her, auf Spitalbetten,
Schlachtfeldern und Kalvarienbergen.
Kein Wunder, nur einer jener schäbigen Tricks,
mit denen der Mensch den Menschen aufs Kreuz legt
seit Menschengedenken. Eine veraltete Redensart,
weiter nichts. Und dennoch möchte ich sie
euch gern überliefern, nur so, diese Zauberformel,
weil sie beinah vollkommen ist: Vollkommener Ablaß
aller zeitlichen und ewigen Strafen.
Übrigens, wenn es an mir wäre, ihn zu gewähren,
ihr armen Schweine, er wäre euch sicher.

Die Glasglocke

Besonders morgens ist, in den Gewächshäusern,
schräg gegenüber, wo Gurken gedeihen,
ohne Rücksicht auf Mord und Totschlag,
ich gähne freudig, alles in Ordnung.
Aus meinem Hahn, dessen kaltes Email
KALT sagt, schwarz auf weiß, fließt wie immer
das Wasser warm. Der Trödler schräg gegenüber
zieht seinen Rolladen hoch, donnernd.
Ich sehe Leute, die kehren, backen,
nageln, zählen, waschen und schreiben.
Ich schreibe, ordentlich. Möbelpacker
sind da, rollschuhfahrende Kinder. Warum
so ordentlich? so gewaltlos? als wäre
nichts der Fall? Am offenen Fenster
stimmt jemand das Klavier, ich kann nur
seine Hände sehen, wie nackt sie sind
und wie weich! Ein Kühlschrank beginnt
zu summen, Züge sind pünktlich, es dreht sich
unter der glasigen Haube des Zählers
lautlos ein Ring, in der Morgensonne
glitzernd. Ein Mann steht, winzig
und hellblau, schräg gegenüber, hoch
auf dem Dach, er wippt, er bückt sich,
er klopft an das verzinkte Blech, ich sehe
ihn klopfen, aber ich höre nichts.
Ein scheckiger Frieden dehnt sich, weich

und winzig, am Vormittag, halb betäubt
von der Sonne, in einer alltäglichen Trance,
und streckt sich gelb, wie die Katze
auf dem Zementsack, schräg gegenüber.

Früher

für Günter

Ach ja, der Geist! Früher war immer
von ihm die Rede. Ich frage mich,
wo er geblieben ist, der Geist.
Auch die Kleinbahn
bimmelt schon lange nicht mehr.
Der arme Mann ist fort,
dem die Mutter Kleingeld gab,
eingewickelt in ein Stück Zeitung,
und einen Teller Suppe.
Der Volksempfänger ist fort,
die Hosenklammer. Wie leicht
man das alles verschmerzen kann!
So leicht wie das Wort *verschmerzen*.

In der Zeit des Faschismus
wußte ich nicht, daß ich
in der Zeit des Faschismus lebte.
Es wimmelte von Klavierlehrern.
Wo sind sie geblieben?
Dreipfennigstücke liefen um
und verschwanden. Verlegen
verbarg sich das Wort *Nostalgie*
im Lexikon: »Mitterwurzer bis Ohmgeld«.
Es wurde Fraktur geredet.
Dienstboten gingen ein
durch die Dienstboteneingänge.

Zahllose Arier waren vorhanden,
die um die Ecke bogen
wie Droschken. Sie dachten wohl,
sie würden gebraucht.
Ganz ohne Plastiktüten
überquerten ältere Leute
quälend langsam die nassen
gähnenden Adolf-Hitler-Plätze.
Mädchen kamen auf Schritt und Tritt,
die Strapse hatten,
Strapse und Leibchen.
Unanständige Wörter gab es.
Tonfilme tönten.

Das alles ist immer kleiner
und kleiner geworden,
unmerklich wie die Kernseife,
oder schmerzlos und über Nacht,
wie ein Milchzahn, verschwunden.
Zum Beispiel das Deutsche Reich.
Die Vergangenheit, drückend
und öde, ist unvorstellbar
leicht entbehrlich. Heute noch
weiß ich nicht genau,
was das ist: Nostalgie.

Eine Alterserscheinung vielleicht,
oder etwas Ansteckendes.
Filzläuse, Filzläuse,

wo seid ihr geblieben?
Packt doch die alten Fotos ein.
Ich verlasse mich lieber
auf die Vergänglichkeit.
Sie läßt keine Rührung
aufkommen, ist beharrlich
und macht vor nichts halt.

Nicht Zutreffendes streichen

Was deine Stimme so flach macht
so dünn und so blechern
das ist die Angst
etwas Falsches zu sagen

oder immer dasselbe
oder das zu sagen was alle sagen
oder etwas Unwichtiges
oder Wehrloses
oder etwas das mißverstanden werden könnte
oder den falschen Leuten gefiele
oder etwas Dummes
oder etwas schon Dagewesenes
etwas Altes

Hast du es denn nicht satt
aus lauter Angst
aus lauter Angst vor der Angst
etwas Falsches zu sagen

immer das Falsche zu sagen?

Gemeinschaftskunde

Heute nehmen wir den Besiegten durch.
In seinem zähen Auswurf kriecht der Besiegte,
mit seinem Totschläger, seiner Übelkeit,
über das salzige Pflaster. Weit hinten
lauert sein letzter Freund. Seht ihr,
wie unauffällig der Besiegte sich
seinen mageren Gaumen leckt! Er ißt
natürlich, er schweigt natürlich,
auf deutsch. Arbeitslos atmet er.
Auch seine Haut hat gelitten, das
sieht man doch, unter dem alten Übel.
Sie altert normalerweise, ohne Geld.
Auch die Rache ist löchrig geworden,
das weiß man, sie heizt nicht. Nein,
natürlich nicht. Aber er denkt sie,
fortwährend, bis auf die Haut. Blut
riecht er, auf deutsch. Der Besiegte
ist lehrreich, wir nehmen ihn durch.
Er bewegt sich noch, seht ihr,
er schnauft, er wehrt sich, er hustet.
Jetzt taumelt er, jetzt schlägt der Besiegte
den letzten Freund in die Flucht.
Er bewegt sich. Er ist noch nicht besiegt.

Sprechstunde

Wissen Sie, Herr Doktor,
früher war ich verrückt nach ihr.
Was hab ich nicht alles getan,
ihr zuliebe. Hier
ist mein Krankenschein. Mit der Zeit
hab ich dann eingesehn,
daß ich der Dumme war.
Nie wollte sie sich festlegen.
Monatelang *la vie en rose*, und dann,
auf einmal, Heulen und Zähneknirschen.
Alles Theater, sagte ich mir.
Sie will mir nur Angst einjagen
mit ihren Grimassen. Übrigens,
die Tabletten habe ich weggeschmissen.
Ganz zu schweigen von ihren Launen.
Immer war sie unpünktlich!
Aber bei all ihren Fehlern, Herr Doktor,
ich hatte viel für sie übrig.
Mein Appetit ist wieder normal.
Natürlich, unentbehrlich ist niemand.
Es wird auch ohne sie gehen.
Doch seitdem sie fort ist, verschwunden,
einfach abhandengekommen,
ehrlich gesagt, Herr Doktor,

seitdem fehlt mir was.
Sie werden lachen:
Ich denke gern an die Zukunft zurück.

Der Kamm

Sie blenden mich. Sie sind schön im Vorübergehn.
Ich bewundere Sie, im Schnee, an der Haltestelle,
wie Sie sich morgens geschmückt haben, militant
und mit letzter Kraft. Eine, die nicht hinkt,
die sich nicht bücken will nach dem Groschen
im Schnee, die ihre Gebrechen verbirgt, unheilbar,
wie ich. Und diesen Kamm, der in Ihrem Haar
glänzt.
Flammendes Schildpatt. Allerdings, dem
fehlen auch ein paar Zähne. – Ach bewundern,
das kann ein jeder sagen. – Verzeihen Sie,
ich meine nur das, was niemand braucht,
was keinerlei Eindruck an Ihnen macht:
den Zehennagel, der langsam gedeiht, das Haar,
die feuchte, hinfällige Haut; kleine Ströme,
nervöse Absonderungen, vorübergehend
wie Ihre Seele, die nicht geschickt ist,
mürbe, von Tabletten zerfressen, erbsenklein,
verloren in Ihrem Brustkorb. Ja, natürlich,
wir müssen fort, haben keine Zeit. Ich weiß.
Was wollte ich sagen? Ja. Weinen Sie weiter.
Ihr Kamm! – Wie bitte? – Sie haben ihn
fallenlassen. Dort auf dem Pflaster liegt er,
wo vorhin der Schnee war, geheimnisvoll
und gewöhnlich. Bald wird er zertreten sein.
Das ist unvermeidlich. Das kann ein jeder sagen.

Ich mache keinerlei Eindruck. Ich sehe ihn
in der Sonne glänzen. Hören Sie nicht auf mich.
Meine Wörter bücken sich nicht. Sie sind
nicht dazu da, etwas aufzuheben. Sie sind da,
eine Weile lang. Es kann sie ein jeder sagen.

Die Kleider

Da liegen sie, still und katzenhaft
in der Sonne, nachmittags,
deine Kleider, ausgebeult,
traumlos, wie ein Zufall.
Sie riechen nach dir, schwach,
sehen dir beinah ähnlich.
Deinen Schmutz überliefern sie,
deine schlechten Gewohnheiten,
die Spur deiner Ellenbogen.
Sie haben Zeit, atmen nicht,
sind übrig, schlaff, voller Knöpfe,
Eigenschaften und Flecken.
In der Hand eines Polizisten,
einer Schneiderin, eines Archäologen
gäben sie ihre Nähte preis,
ihre nichtigen Geheimnisse.
Aber wo du bist, ob du leidest,
was du mir immer hast sagen wollen
und nie gesagt hast,
ob du wiederkommst, ob das,
was geschah, aus Liebe geschah
oder aus Not oder Vergeßlichkeit,
und warum dies alles so,
wie es gekommen ist,
gekommen ist,
als es ums nackte Leben ging,

ob du tot bist, oder ob
du dir nur die Haare wäschst,
das sagen sie nicht.

Besuch bei Ingres

Heute hätte er für das ZK gemalt, oder
für die Paramount,
je nachdem. Aber damals schwitzten
die Gangster noch
unter dem Hermelin, und die Hochstapler ließen
sich krönen.
Also her mit Insignien, Perlen und Pfauenfedern.

Wir treffen den Künstler sinnend an. Er hat sich
ausgestopft
mit »gewählten Gedanken und edlen Leiden-
schaften«.
Eine mühsame Sache. Teure Sesselchen, Erstes
Empire oder Zweites,
je nachdem. Weiches Kinn, weiche Hände,
»Griechentum in der Seele«.

Sechzig Jahre lang diese kalte Gier, jeder Zoll
ein Könner,
bis es erreicht war: die Rosette im Knopfloch,
der Ruhm.

Diese Frauen, die sich vor ihm auf dem Marmor
winden
wie Robben aus Hefeteig: zwischen Daumen
und Zeigefinger

die Brüste gemessen, die Oberfläche studiert
wie Plüsch,
Tüll, Spiegeltaft, die Feuchtigkeit in den
Augenwinkeln
zwölfmal lasiert wie Gelatine, das Inkarnat glatt
und narkotisch, besser als Kodak: ausgestellt
in der École des Beaux-Arts, eine käufliche Ewigkeit.

Wozu das Ganze? Wozu das Blech der Orden,
der fanatische Fleiß, die vergoldeten Adler aus Gips?

Merkwürdig schwammig sieht er mit achtzig aus,
erschöpft, den Zylinderhut in der linken Hand.
»Es war alles umsonst.« Aber aber, verehrter Meister!
Was soll denn der Rahmenmacher, der Glaser
von Ihnen denken,
die treue Köchin, der Leichenwäscher? Einzige Antwort:

Er seufzt. Hoch über den Wolken, onirisch, die
Finger der Thetis,
die sich wie Würmer ringeln auf Jupiters
schwarzem Bart.
Widerwillig werfen wir einen letzten Blick
auf den Künstler – wie kurz seine Beine sind! –
und verlassen auf Zehenspitzen das Atelier.

Ein Traum

Ich bin auf der Flucht. Ich habe meine Schuhe
verloren.
Kirschbäume blühen hinter einem verlassenen Haus.
Der Zaun ist zerbrochen. Meine Füße sind staubig,
wund.
Ich sitze im Gras, schlafe ein. Durch das offene
Fenster
blicke ich in ein Zimmer, das weiß und kühl ist.
Im Traum
sehe ich einen alten Mann barfuß vor einer
Leinwand stehen.
Er kehrt mir den Rücken zu. Leicht gebückt
tänzelt er in der Morgensonne und setzt
mit winzigen Strichen rasch ein paar Schuhe hin,
zwinkernd. Wie leicht das geht! Der Geruch
der Farbe ist stechend und fett, und im schrägen Licht
funkelt der nasse Pinsel, jedes einzelne Haar.
Die Zeit vergeht. Weich und rehbraun malt er
die beiden Stiefelchen nebeneinander, etwas versetzt,
in das weiche Gras. Ich rieche das Leder.
Die Schlaufen,
die Zungen glänzen matt, ich kann die Haken zählen,
die eisernen Ösen. Außer im Kopf des Malers
und auf seinem Bild sind keine Schuhe da.
Von der Straße her höre ich Leute murmeln,
Hundegebell, Lärm. War das nicht ein Schuß?

Warum tust du das, rufe ich im Traum, was du tust?
Hast du kein Leder? – Er rührt sich nicht. – Ja,
sie sind schön, aber was heißt schön? Bekommst du
Geld dafür? – Ich glaube, er lacht. – Außerdem
sind sie alt und abgetragen. – Er stellt sich taub,
wirft einen Blick auf das Bild, zuckt die Achseln
und geht. Die Stiefelchen stehen warm,
wie zwei schlafende Hasen, im Gras.

Kein Anschluß unter dieser Nummer

Aber jetzt, da sie erwacht ist, weiß sie nicht mehr,
wie sie in dieses Zimmer geraten ist. Aber die Treppe,
denkt sie, war baufällig und verwinkelt.
Überall riecht es nach Flieder. Aber sie kennt
diese weißen Vorhänge, die sich bauschen, bauschen.
Derselbe Nachtfalter sitzt auf dem verschlissenen
Sessel.
Er zittert, seine Flügel schimmern, mehlig und weich.
Biochemie. Sie hat Biochemie studiert. Aber wo
ist der Lichtschalter? Wo ist ihr Kugelschreiber
geblieben, die alte Tasche, der Autoschlüssel?
Das ist doch Wahnsinn. Sie horcht. Sie reißt
das Fenster auf. Sie ist nackt, sie schaudert,
zuckt, dehnt ihre kühlen Zehen. Sie denkt:
Aber dieser Nachtfalter, dieses vage Verlangen,
die weißen Kerzen der Kastanien über dem Zaun –
das alles ist unerklärlich. Kein Güterzug klirrt
und rumpelt vorbei, nicht einmal eine Uhr
tickt hier. Aber ohne Geschichte, denkt sie,
ohne Zeitungen, Präparate, bin ich verloren.
Zum Verrücktwerden, daß das alles stirbt
und wiederkehrt: die nackte Haut, das Mondlicht,
der Falter mit seinen weißen Fühlern, die suchen,
suchen, und der Geruch des Flieders in diesem
hohen Zimmer.
Aber alles ist da, genau wie vor hundert Jahren.

Ländler

Wie bitte? Wie?
Wer hat hier Wie gesagt?
Und was heißt das schon:
»Letzten Endes«?
Dieser Ländler ist »wie«
die Spinne im Bernstein
aufbewahrt in einem Licht
das sich verfinstert hat.
Der Ländler im Harz
und einige andere
längst verschwundene Dinge
im zweiten Satz: Unsterblichkeit
ist etwas Tödliches.
Wie bitte? Ja. Der Unterschied
zwischen »Natur« und »Geschichte«
ist vielleicht nicht des Aufhebens wert,
das wir davon machen,
»letzten Endes«.
Was heißt hier schon Ländler?
»Natürlich« kommt immer etwas anderes
dabei heraus, immer etwas anderes,
als das, was »wir« wollten.
Eine Zukunft, mit der die Spinne
im Bernstein nicht gerechnet hat.
Nicht ganz das, was sie »wollte«.
Ein Ländler, der kein Ländler mehr ist:

etwas Ausgestorbenes.
Paläontologie, einzige Wissenschaft,
an die wir uns halten können,
trostreich und nutzlos.
Sie dreht sich im Kreis,
wie jener Ländler,
der sich »letzten Endes«
nicht von der Stelle rührt.

Die Parasiten

Man fragt sich, was das für Leute sind,
die sich, die einander bekannt vorkommen,
hier, an diesem langen Tisch, Bekannte,
mit einem Wort, und streng genommen
fragt man sich selber, ob einer hier ist,
der nötig wäre. Man fragt. Niemand weiß es.
Nur ein Beamter auf Lebenszeit, der links
und lustlos stochert in gelblichen Theorien
über den Mehrwert, gibt patzig Auskunft.

Alles daneben. Oh, man gibt gerne zu,
Diebe, Pfaffen und Kurtisanen, die
hat es immer gegeben; auch die allmählich
verfaulenden Medizinmänner und Auguren,
die locker am Tischende quasselnd essen,
auch dort im Winkel die wüsten Träumer
auf ihren Matratzen. Der da hinten z. B.,
ein Bildhauer, der Brancusi zu sein glaubt,
man glaubt es kaum, ist möglicherweise Brancusi.

Aber all diese Heiratsschwindler und Boxer,
Könige, Punks, Jongleure, ja selbst die Mörder
und Makler sind längst in der Minderheit.
Man sieht, wie der Staats-Scheißkerl wächst,
wie schwarz seine Mitesser sprießen,
seines Todesarbeiter, Hundeführer

und Deklamatoren. Am frühen Morgen,
wenn die Regale sich füllen im Supermarkt,
sind keinerlei Leichen zu sehen.

Überall trifft man Bekannte, wundert sich.
Strauchelnde sind es, ineinander verwickelt.
Notwendig, überflüssig: ja, wer das
unterscheiden könnte! Produktiv, unproduktiv:
nicht mehr so einfach wie früher.
Und selber fragt man sich oft, ob hier
noch einer nötig ist, irgendeiner, z. B.
der Parasit, der schräg gegenüber
groß an die Wand malt: Fort mit den Parasiten!

Das Geld

Es ist ja nicht so, daß es sich bündeln,
mit rosigen Banderolen bändigen,
rollen ließe, in die Matratze stopfen
für immer; dergestalt, daß
du einfach einschlafen könntest
und davon träumen, wie du es erbst,
druckst, aus dem Fenster wirfst,
austeilst, vernichtest, hast;
wie du dastehst mit erhobenen Händen
und zitterst, und einer brüllt:
Zieh dich aus für zwölf Mark,
für zwölf Millionen, leg dich hin,
stirb entweder oder kämpfe darum,
bis es hell wird draußen;

nein, so ist es nicht; es ist
ja nicht so, als ob du es haben,
nicht haben, fassen, anfassen könntest;
es riecht ja nicht, knistert nicht,
hat kein Wesen; sondern es tropft
psychisch, fehlt, von selber, sammelt
sich innen, rinnt, gerinnt; dickflüssig
überschwemmt es beim letzten Fixing
alles was telephoniert;
und zwar dergestalt steigt es, daß
nur die Leichen nicht davon trinken;

doch dann fällt es wieder, fehlt,
verdunstet und tropft, von neuem,
wirtschaftlich, und von selber.

Der Fliegende Robert

Eskapismus, ruft ihr mir zu,
vorwurfsvoll.
Was denn sonst, antworte ich,
bei diesem Sauwetter! –,
spanne den Regenschirm auf
und erhebe mich in die Lüfte.
Von euch aus gesehen,
werde ich immer kleiner und kleiner,
bis ich verschwunden bin.
Ich hinterlasse nichts weiter
als eine Legende,
mit der ihr Neidhammel,
wenn es draußen stürmt,
euern Kindern in den Ohren liegt,
damit sie euch nicht davonfliegen.

Die Furie

Sie sieht zu, wie es mehr wird,
verschwenderisch mehr,
einfach alles, wir auch;
wie es wächst, über den Kopf,
die Arbeit auch; wie der Mehrwert
mehr wird, der Hunger auch;
sieht einfach zu, mit ihrem Gesicht,
das nichts sieht; nichtssagend,
kein Sterbenswort;
denkt sich ihr Teil;
Hoffnung, denkt sie,
unendlich viel Hoffnung,
nur nicht für euch;
ihr, die nicht auf uns hört,
gehört alles; und sie erscheint
nicht fürchterlich; sie erscheint nicht;
ausdruckslos; sie ist gekommen;
ist immer schon da; vor uns
denkt sie; bleibt;
ohne die Hand auszustrecken
nach dem oder jenem,
fällt ihr, was zunächst unmerklich,
dann schnell, rasend schnell fällt, zu;
sie allein bleibt, ruhig,
die Furie des Verschwindens.

Inhalt

Tränen der Dankbarkeit

Die Frösche von Bikini

Die Furie des Verschwindens

edition suhrkamp. Neue Folge.

1
Gertrud Leutenegger: Lebewohl, Gute Reise
Ein dramatisches Poem

2
Hans Georg Bulla: Weitergehen
Gedichte

3
Von nun an: Neue deutsche Erzähler
Herausgegeben von Hans-Ulrich Müller-Schwefe

4
Franz Böni: Hospiz
Erzählung

5
Bodo Kirchhoff: Body-Building
Erzählung, Schauspiel, Essay

6
Thomas Bernhard: Die Billigesser

7
Sinclair: Der Fremde
Erzählung

8
Octavio Paz: Suche nach einer Mitte
Die großen Gedichte. Spanisch und Deutsch

edition suhrkamp. Neue Folge.

9

Tove Ditlevsen: Sucht

Erinnerungen

10

Hoffnung auf Frühling

Moderne chinesische Erzählungen

Band 1: 1919–1949

Hundert Blumen

Moderne chinesische Erzählungen

Band 2: 1949–1979

11

Paul Feyerabend: Erkenntnis für freie Menschen

Revidierte Ausgabe

12

Norbert Elias:

Der bürgerliche Künstler in der höfischen Gesellschaft

Am Beispiel Mozart

13

Stanisław Lem: Dialoge

14

Leo Löwenthal

Ein autobiographisches Gespräch

mit Helmut Dubiel

15
William G. Niederland:
Folgen der Verfolgung: Das Überlebenden-Syndrom

16
Politik der inneren Sicherheit
Hrsg.: Erhard Blankenburg

17
Der gerechte Krieg. *Christentum, Islam, Marxismus*

18
Darcy Ribeiro: Unterentwicklung, Kultur, Zivilisation
Essays

19
Uwe Johnson: Begleitumstände
Frankfurter Vorlesungen

20
Walter Benjamin: Moskauer Tagebuch
Vorwort von Gershom Scholem
Hrsg.: Gary Smith

21
Dieter Leisegang: Lauter letzte Worte
Gedichte und farbige Miniaturen

edition suhrkamp. Neue Folge.

22
Renate Rubinstein:
Nichts zu verlieren und dennoch Angst
Vorwort von Norbert Elias

23
Hanna Krall:
Schneller als der liebe Gott
Vorwort von Willy Brandt

24
Roberto Calasso:
Die geheime Geschichte
des Senatspräsidenten
Dr. Daniel Paul Schreber

25
Nicolaus Bornhorn:
America oder Der Frühling der Dinge

26
Winfried Menninghaus:
Paul Celan. Magie der Form

27
Claude Lévi-Strauss: Mythos und Bedeutung

28
Der Neger vom Dienst. *Afrikanische Erzählungen*
Hrsg.: Rüdiger Jestel

edition suhrkamp. Neue Folge.

29
Rainer Malkowski: Das weiße Schloß
Erzählung

30
Roland Barthes: Leçon/Lektion

31
Das kontrollierte Chaos. Die Krise der Abrüstung

32
Die Museen des Wahnsinns und die Zukunft der Psychiatrie
Hrsg.: Manfred M. Wambach

33
Alejo Carpentier: Stegreif und Kunstgriff
Essays

34
Ernst Kris/Otto Kurz: Die Legende vom Künstler
Ein geschichtlicher Versuch

35
Horst Antes: Künstler machen Bücher
Hrsg.: Klaus Gallwitz